MÜNCHEN

MÜN

CHEN

Introduction

"It is an exceptionally lovely town, and there is said to be no more beautiful princely city in all Germany."
Thus wrote Matthaeus Merian about Munich in 1644 in his description of the Bavarian countryside. Even today, three-and-a-half centuries later, the capital of Bavaria is still considered by many to be the most beautiful city in Germany. While this view might be questioned, there are some hard facts about which there can be no doubt: Munich is the third-largest city in West Germany, has 1.3 million inhabitants, is the capital of the State of Bavaria, is the headquarters of the Upper Bavaria administrative region, and is situated at 530 metres above sea level. And that is by no means all that can be said about the heart of the Bavarian pre-Alps.

History

To begin at the beginning, the origins of Munich (German name München) are not absolutely certain. There is no doubt that in the 12th century there was a settlement called "zu den München" (the monks' place) on the site of the present city, believed to have been founded in the **8th century** by monks from the Tegernsee Benedictine monastery.
In **1158** Guelph prince *Heinrich der Löwe* (Heinrich the Lion) destroyed the bridge over the Isar in the bishop's see of Oberföhring, and transferred the Oberföhring market (mainly important for trade in salt) further north, along the river to "zu den Munichen" where he had a new bridge built to ensure that customs duties were paid. The first city walls were built at the crossroads between the Bavarian "salt road" which led from Reichenhall to Augsburg and a major north-south route. Thus began the rise of Munich, which was to become an important trade and market centre.
In **1255** another major event in the history of Munich took place; the most important royal dynasty in Bavaria, the princes of *Wittelsbach*, the successors of *Heinrich the Lion*, proclaimed Munich the town of their **court residence**. The first residence of the Wittelsbachs, the **Old Court**, still partly surives. The second city walls were then built, and were so grandiose in their design that they allowed enough room for Munich to expand until the 19th century.
The election of *Ludwig of Bavaria*, a member of the Wittelsbach dynasty, as Kaiser of Germany in **1328** gave Munich permanent political importance and wealth, deriving both from its role of court residence and from the importance it acquired as a trading town.
By the **15th century** the arts had begun to flourish in Munich for the first time. During this period, the **Frauenkirche** (Women's Church) was built with funds supplied by wealthy burgers. In **1505** Munich permanently became the sole capital and court residence of Bavaria. The **Jesuit Church of St. Michael**, a monument to the Counter-Reformation built by *Duke Wilhelm V*, dates from the **16th century**. *Wilhelm's* successor *Maximilian I*, an enthusiastic collector of works of art, turned Munich into the art capital of southern Germany. In **1623**, during his rule (1597-1651), the town also became the residence of the Elector princes.
The power of the *Wittelsbach* dynasty was manifested in later centuries too, not least due to the extensive building work they undertook. Buildings like **Nymphenburg Castle** demonstrate

not only the construction style then in vogue (Baroque) but also the absolute power of the princes. Under the rule of Elector *Karl Albrecht*, who was also *Kaiser of Germany* from 1742 to 1745, Bavarian Rococo enjoyed a period of particular splendour.
The way was permanently paved for the future of Munich as from the **19th century** in two respects; the town became both a major industrial centre and one of the leading art centres in Europe. The latter role is largely due to the reign of *Ludwig I* (1825-1848), who as King of Bavaria built squares like the **Odeonsplatz**, streets like **Ludwigstrasse** and buildings like the **Old Art Gallery**, the **Felderhalle** and the **State Library**. It was also *Ludwig I* who transferred the University from Landshut to Munich in **1826**. In political terms Ludwig I achieved less success - his affair with Spanish dancer *Lola Montez* and his reactionary behaviour in the year of revolution, 1848, forced him to abdicate.
While Ludwig's son *Maximilian II* (1848-1864) was noteworthy for his promotion of the sciences and poetry, his successor *Ludwig II* (1864-1886) was not especially fond of Munich; the legendary *Fairytale King* spent as much time as he could away from the court residence in the fortresses and castles he had built in the loveliest parts of Bavaria, where he lived in a Mediaeval dream world.
At the turn of the century Munich was the leading artistic city and "secret capital" of Germany. Many famous authors, poets and painters lived and worked there, such as *Thomas Mann, Henrik Ibsen, Rainer Maria Rilke, Paul Klee* and *Wassily Kandinsky*.
The history of Munich as court residence terminated with the end of the *Wittelsbach* rule in **1918**. The present capital of the State of Bavaria has played a crucial role in the events of the **20th century**; in **1919** the Socialist Republic was proclaimed there, to be defeated shortly afterwards by government troops and the Freikorps volunteers. In **1923** *Adolf Hitler* attempted to take power for the first time with a march on the Feldherrenhalle, but the would-be putsch failed. Ten years later, after *Hitler* had seized power, Munich received the "honorary" title of "Capital of the (National Socialist) Movement". The citizens of Munich paid dearly for this honour in **1944**, when half the town was destroyed in air raids. As a result of reconstruction after the end of the war, it was possible to rebuild many of the old monuments, and Munich soon regained its previous importance. In **1957** the number of inhabitants passed the one million mark for the first time. In 1972 one of the most important events of the post-war period took place - the Olympic games were held in Munich.

Economy

Munich is not only a major **international tourist centre** but also the third-largest **industrial town** in West Germany. The large companies based in the city include six world-famous **breweries**. The capital of Bavaria is also well-known as a **science and media centre**. Almost 300 **publishing companies** and numerous **film and television studios** are based in the town, together with nine **universities** and **technical colleges** and a number of **research institutes** like the **Max-Planck company**, which has 10 institutes in Munich alone.

Introduccion

"Es una ciudad extraordinariamente bella y se dice que no exista en Alemania una ciudad principesca más hermosa".

Esto es lo que escribe Matthaeus Merian en l644 a propósito de Munich en su descripción del paisaje de Baviera.

Para muchos la capital bavaresa representa todavía hoy, después dc trcs siglos y mcdio, la ciudad más bclla de Alemania.

Aunque esta afirmación se pudiese rechazar, existen otros hechos completamente ciertos:

Munich es la tercera ciudad en tamaño de la República Federal Alemana, cuenta con 1,3 millones de habitantes, es la capital del Estado libre de Baviera, la sede administrativa de la región gubernamental de la Alta Baviera y está situada a 530 metros sobre el nivel del mar. Sin embargo con esto no hemos dicho todo acerca del corazón del atiplano alpino bavarese.

Historia

Comencemos desde el principio: todavía hoy no es muy claro el nacimiento de Munich. Es verdad que en el siglo $12°$, en lugar de la ciudad actual, se encontraba una población de nombre "zu den Moenchen" ("donde los monjes") que presumiblemente había sido fundada en el **siglo $8°$** por algunos monjes del monasterio benedictino Tegernsee.

En **1158** el príncipe guelfo *Heinrich der Loewe* (Heinrich el Léon) destruyó el puente sobre el río Isar de la ciudad obispal de Oberfoehring, trasladó el mercado de Oberfoehring, importante sobretodo por el comercio de la sal, más al septentrión a lo largo del río en "zu den Munichen" ("donde los monjes"), y allí hizo construír un nuevo puente, para cerciorarse del cobro de los impuestos aduaneros. Los primeros muros de la ciudad se erigieron en el cruce entre la "calle de la sal" bavaresa, que iba de Reichenhall hasta Augsburgo, y una importante calle de unión norte-sur. Así tuvo su comienzo el auge de Munich, que se convirtió en un importante centro comercial y de mercado.

En **1255** tuvo lugar un acontecimiento importante para la historia de Munich: la más importante dinastía real de Baviera, los príncipes *Wittelsbach*, sucesores de *Heinrich el León*, proclamaron a Munich como la **ciudad residencial**. La primera residencia de los Wittelsbach, la **Vieja Corte**, se conservó parcialmente hasta hoy. En seguida se construyeron los segundos muros de la ciudad, proyectados de manera tan grandiosa que brindaron espacio para el crecimiento de Munich hasta el siglo $19°$.

La elección de *Ludwig des Bayern* (Ludovico de Baviera), de la dinastía Wittelsbach, en calidad de emperador alemán en **1328** hizo ganar definitivamente a Munich en importancia política y en bienestar, provenientes tanto del papel de ciudad residencial como de la importancia adquirida como centro comercial.

Ya en el **siglo $15°$** Munich tuvo un primer florecimiento en el campo de las artes - fué en este período cuando se construyó, gracias a la financiación de ciudadanos pudientes -la **Frauenkirche** (Iglesia de las Mujeres). En **1505** Munich se convirtió definitivamente en la única capital y ciudad residencial de Baviera. En el **siglo $16°$** se edificó también la Iglesia de los **Jesuítas St. Michael (San Miguel)** un monumento de la contrareforma, mandado construír por el *duque Guillermo V*. El sucesor de *Guillermo, Maximiliano I*, apasionado coleccionista de

obras de arte, transformó a Munich en capital artística de Alemania meridional. Durante su reinado (1597-1651) la ciudad se convirtió también, en **1623**, en residencia de los príncipes electores.

El poder de la dinastía de los *Wittelsbach* se hizo sentir en los siglos sucesivos, y no sólo por la amplia actividad de construcción adelantada por ellos. Edificaciones como el **Castillo de Nymphenburg** constituyen una prueba no sólo del estilo de construcción en auge para la época -el Barroco- sino también del poder absoluto de los príncipes. Bajo el dominio del príncipe elector *Carlos Alberto*, nombrado también *emperador alemán* de 1742 a 1745, el Rococó bavarés gozó de particular esplendor.

En el **siglo $19°$** se cimentaron definitivamente las bases del futuro de Munich desde un doble punto de vista: por una parte la ciudad se convirtió en importante centro industrial, por la otra uno de los mayores centros artísticos de Europa. Por este último hecho se debe agradecer en modo particular al reinado de *Ludovico I* (1825-1848) quien, soberano de Baviera, hizo construír plazas como la **Odeonsplatz**, calles como la **Ludwigstrasse** y edificios como la **Antigua Pinacoteca**, la **Felderhalle** y la **Biblioteca Estatal**. Fué siempre *Ludovico I* quien trasladó **en 1826 la Universidad** de Landshut a Munich. Desde el punto de vista político Ludovico I tuvo menos éxito - su relación con la bailarina española *Lola Montez* y su comportamiento reaccionario en el año de la revolución lo obligaron a abdicar en l848.

Mientras que el hijo de Ludovico, **Maximiliano II** (1848-1864) se ganó la complacencia por la promoción de las ciencias y de la poesía, su sucesor, *Ludovico II* (1864-1886) no tuvo una grande pasión por Munich: el legendario *Rey de las Fábulas* transcurría gran parte de su tiempo fuera de la ciudad residencial -en las fortificaciones y en los castillos que se había hecho construír en los lugares más hermosos de Baviera y en los cuales vivía imbuído en un sueño medieval.

A fines del siglo Munich era entonces la más importante metrópoli artística y la "capital secreta" de Alemania- en ella vivieron y trabajaron numerosísimos escritores, poetas y pintores famosos como *Thomas Mann, Heinrik Ibsen, Rainer Maria Rilke, Paul Klee y Wassily Kandinski*.

Con la terminación del dominio de los Wittelsbach, en **1918**, vió el propio epílogo también la historia de Munich como ciudad residencial de la corte. La capital actual de la república de Baviera desempeñó un papel determinante en los acontecimientos del **siglo 20**: en l919 fué proclamada la República socialista, poco después derrotada por tropas gubernamentales y cuerpos de voluntarios.

En l923 *Adolfo Hitler* intentó por primera vez apoderarse con una marcha dirigida hacia la Feldherrenhalle - que en ese entonces fracasó. Diez años más tarde- después de la conquista del poder por parte de *Hitler*- Munich recibió el título "honorario" de "Capital del movimiento (Nacional socialista)".

Todo esto fué pagado a caro precio por los habitantes de Munich en l944, cuando mitad de su ciudad quedó destruída por los bombardamientos aéreos. Gracias a una rápida reconstrucción a fines de la guerra mundial muchos de los antiguos monumentos se volvieron a construír y Munich volvió a adquirir la importancia de que gozaba anteriormente. En l957 el número de los habitantes pasó por primera vez la cifra del mi-

Culture

Munich was already an artistic town of European renown during the reign of King *Ludwig I* (1825-1848). Nowadays, it has so much to offer in artistic terms - 45 different **theatres**, from the **State Opera House** to cabarets, 40 **museums** including the **Deutsche Museum** and the **Old Art Gallery** with its collection of world-famous paintings, over 80 **art galleries**, numerous **concert halls** and countless **taverns with music** - that it still bears comparison with other European cultural towns. Munich culture, however, does not only mean the fine arts, but also includes what could be called "the art of life"; elevenses with real white Munich sausage, a walk in the **English Gardens**, a swim in the **Isar**, an outing to the **Olympiapark** and a visit to the various **festivals and entertainments** held throughout the year, including the **Carnival** in January and February, **Stout Ale Time** in March, the **Spring Festival** in April, the **Nymphenburg summer games** in June and July, the **Opera Festival** in July, the **Oktoberfest** in September and October, **Fashion Week** in March and October, the **Baby Jesus Market** in December and the **Au Fair**, a curio and art fair held three times a year in the former suburb of Au.

The best-known Munich festival is, of course, the **Oktoberfest**, held for the first time in 1810 on the occasion of a Bavarian prince's wedding, which has since become world famous. During the Oktoberfest over 5 million visitors empty about the same number of one-litre tankards of beer in the "meadows". Those who prefer to sip their beer in a quieter place will certainly find what they are looking for in one of the numerous Munich **biergartens**.

Sights

Munich has its elector princes and kings to thank for most of its architectural sights, from the old **City Gates** - Sendlinger Tor (Sendling Gate), Karlstor (Karl's Gate), Isar-tor (Isar Gate) and Siegestor (Victory Gate) - to the **Court Residence** with its numerous annexes and the **Wittelsbach fountain**, **Nymphenburg Castle** and its grounds, the **Neue Schloss** (New Castle) at Schleissheim, the various churches like **S. Peter's** (the oldest church in Munich), the **Heiliggeistkirche** (Church of the Holy Ghost) and the Baroque **Asamkirche**, the **National Theatre, Feldherrenhalle,** the **Old and New Art Gal-**

16th century Munich, popular painting c. 1580 (Münchner Stadtmuseum).

Munich en el siglo XVI, pintura popular, 1580 aproximadamente (Münchner Stadtmuseum, Museo Civico de Munich)

llón. En 1972 se llevó a cabo uno de los más importantes acontecimientos de la postguerra: los juegos olímpicos de verano.

Economía

Munich no es sólamente un importante **centro turístico internacional** sino también la tercera **ciudad industrial** en orden de grandeza de la República Federal Alemana. Entre las grandes empresas de la ciudad se encuentran también seis **fábricas de cerveza** de renombre mundial. La capital bavaresa es conocida también como **centro científico y de comunicaciones**. En la ciudad se encuentran **casi 300 editoriales, 9 Universidades** e **Institutos de Crédito** y numerosos estudios cinematográficos y televisivos, como también una serie de **institutos de investigación por ejemplo la sociedad Max-Planck,** que solamente en Munich cuenta con diez institutos.

Cultura

Munich era ya una ciudad artística de importancia europea en los tiempos del reino de *Ludovico I* (1825-1848). Actualmente con todo lo que ofrece desde el punto de vista artístico 45 teatros distintos -desde la **Staatsoper** hasta los cabarets -**40 museos**, entre los cuales el **Deutsche Museum** y la **Antigua Pinacoteca**, con su colección de pinturas de fama mundial -más de 80 **galerías,** numerosas **salas de conciertos** y **tabernas con música,** siempre está en capacidad de hacer frente a las demás ciudades culturales europeas.

Desde el punto de vista cultural Munich no ofrece mucho sólo en el campo de las bellas artes,sino también en lo que podría definirse como "arte vivo"; la merienda de la media mañana con pura salchicha blanca de Munich, el paseo por el **Jardín Inglés,** el baño en el río **Isar,** el paseo a la **Olympiapark** y la participación en los distintas **fiestas y espectáculos** a lo largo del año: el **Carnaval** de enero y febrero,
Tiempo de cerveza fuerte en marzo, **Fiesta de la Primavera** en abril, **juegos de verano en Nymphenburg** durante junio y julio, **Fiesta de la ópera** en julio, **Oktoberfest** en septiembre y en octubre, **Semanas de la moda** en marzo y octubre, **Mercado del Niño Jesús** en diciembre y tres veces al año la **verbena de Au,** un mercado anual de objetos de arte y antigüedades que tiene lugar en la experiferia de Au.

La fiesta más conocida de Munich es naturalmente la **Oktoberfest,** que se llevó a cabo por vez primera en 1810 con motivo de las bodas de los príncipes bavareses y desde entonces se

Canaletto (1720-1780) - Munich c. 1761 (Residenzmuseum, Munich).

Canaletto (1720-1780)- Munich alrededor del 1761 (Residenzmuseum- Museo de la Residencia, Munich)

leries, the **Maximilianeum** where the Bavarian Regional Council meets, and last but not least, the various **roads, squares and monuments** built by the state's rulers.

The visitor to the city will also see sights built far more recently; first and foremost is the **Olympiapark** with the 290 metre tall **Olympia tower** and the **Olympia Stadium** with its famous canvas roof. There are also some noteworthy industrial complexes, such as the **BMW building** with its four towers. Another modern achievement is the **pedestrian precinct** in the town centre, between **Karlsplatz (Stachus)** and **Marienplatz**, where the **New Town Hall** (Neue Rathaus) is situated. Just around the corner are the **Frauenkirche** and the **Hofbräuhaus** (Court Brewery), and not far away is the **Viktualienmarkt** (Victual Market), where a wide variety of foodstuffs can be bought. The town centre and **Schwabing**, with its "mile of chic" along **Leopoldstrasse**, are not the only parts of town to offer interesting sights. Other areas, such as **Heidhausen** and **Neuhausen**, whose special character has been preserved to the present day, are considered the best residential and shopping districts. The Heidhausen district also contains the new **"Am Gasteig"** arts centre, where the Munich **Philharmonia** is based.

Excursions

Due to its central location, Munich is the ideal starting point for various excursions to the most interesting sights and loveliest areas of Upper Bavaria. Most destinations can be reached in a short time, from the various lakes (**Starnberger See, Ammersee, Chiemsee, Tegernsee**) to the famous resorts in the Bavarian alps patronised by foreign tourists (**Garmisch-Partenkirchen, Berchtesgaden, Bad Tölz, Oberammergau,** etc.) and world-famous **palaces** (**Neuschwanstein, Herrenchiemsee, Linderhof,** etc.).

convirtió en evento de fama mundial. Durante la Oktoberfest más de cinco millones de visitantes destapan en "los prados" por lo menos otros tantos rubicones de cerveza de un litro. Quien prefiere saborear la propia cerveza en un lugar más tranquilo puede encontrar seguramente lo que busca en uno de los numerosos **Jardines de la Cerveza en Munich**.

Atractivos

En cuanto a atractivos arquitectónicos se refiere, Munich tiene que agradecer en gran parte a los príncipes electores y soberanos; desde las viejas **Puertas de la ciudad** (Sendliger Tor- Puerta de Sendling, Karlstor- Puerta de Carlos, Isar Tor - puerta del Isar y Siegestor- Puerta Victoria) hasta la **Residencia** con sus numerosos edificios contiguos y la **Fuente de Wittelsbach**, el **Castillo de Nymphenburg** con el correspondiente parque, el **Castillo Nuevo** en Schleissheim, las distintas iglesias como **San Pedro** (la iglesia más antigua de Munich), la **Iglesia de la Salud** o la barroca **Asamkirche**, el **Teatro Nacional**, la **Feldherrenhalle**, la **Nueva y Antigua Pinacoteca**, el **Maximilianeum** donde se reúne el consejo regional bavarés, y no menos las distintas **calles, plazas y monumentos** mandados a construír por los reinantes.

Aparte de esto, quienes visitan la ciudad podrán admirar atracciones de tiempo más reciente: en primer lugar debe recordarse el **Olympiapark** (Parque Olimpia), con la **Olympiaturm** (torre Olimpia) de 290 metros de alto y el **Olympiastadion** (estado Olimpia), con su famoso toldo de copertura. También son dignos de mención algunos complejos industriales, como por ejemplo la **sede de la BMW** con sus cuatro torres. Otra conquista de la era moderna está representada por la **Zona Peatonal** en el centro de la ciudad -entre la **Karlplatz** (Stachus) y la **Marienplatz**, donde se levanta el **Nuevo Municipio**. Precisamente detrás de la esquina se encuentran la **Frauenkirche** y la **Cervecería de Corte** (Hofbraeuhaus) y, poco más distante, el **Mercado de Víveres**, donde es posible comprar el más variado bastimento (palabra antigua para denominar "productos alimenticios"). No es solamente el centro de la ciudad **Schwabling**, con su "milla de la elegancia" en la **Leopoldstrasse** que brinda atraciones interesantes, sino también los barrios de la ciudad; en primer lugar **Heidhausen y Neuhausen**, que conservan hasta nuestros días su carácter particular y que son considerados los barrios mejores para vivir y hacer compras. En el barrio de Heidhausen se encuentra también el nuevo centro cultural "**Am Gasteig**" que hospeda entre otras cosas la **Filarmónica** de Munich.

Excursiones

Gracias a su posición central Munich representa el punto de partida ideal para varias excursiones hacia las más atractivas y hermosas regiones de la Alta Baviera. Las metas excursionísticas más conocidas, donde se puede llegar en breve tiempo, comprenden distintos lagos (**Starnberger See, Ammersee, Chiemsee, Tagernsee**), famosas localidades de turismo extranjero que rodean los alpes bavareses (**Garmisch-Partenkirchen, Berchtesgaden, Bad Toelz, Obergammergau**, etc) y palacios conocidos en todo el mundo (**Neuschwanstein, Harrenchiemsee, Linderhof**, etc.).

1 Frauenkirche
2 Neues Rathaus
3 Peterskirche
4 Residenz
5 Nationaltheater
6 Theatinerkirche
7 Karlstor
8 Propyläen
9 Lenbachhaus
10 Alte Pinakothek
11 Neue Pinakothek
12 Universität
13 Siegestor
14 Monopteros
15 Haus der Kunst
16 Nationalmuseum
17 Friedensengel
18 Maximilianeum
19 Völkerkundemuseum
20 Isartor
21 Deutsches Museum
22 Maria-Hilf-Kirche
23 Gärtnerplatztheater
24 Sendlinger Tor
25 Paulskirche
26 Circus Krone
27 Olympiastadion
28 Olympiaturm
29 Oktoberfest

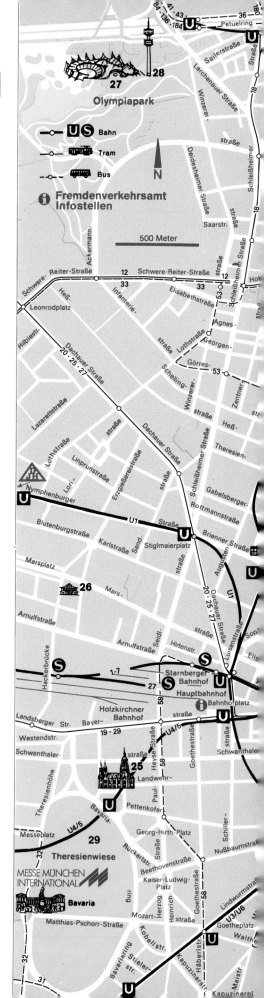

City Centre

Many of the sights of Munich are located in the city centre and can easily be reached on foot. Although it has been a very long time since the **city centre** was separated from the surrounding area by the city walls, the mediaeval heart of the city is still easily recognisable. The original site of the previous boundaries is still indicated by the three **City Gates, Isar-Tor** to the East, **Sendlinger Tor** to the South and **Karlstor** to the West. The fourth gate (Schwabinger Tor) was situated to the North, in Odeonsplatz. Some of the sights to be found in the city centre include the **Court Residence,** numerous large churches, the **Old and New Town Halls,** the **Hofbräuhaus,** the **Victual Market** and **Marienplatz.** A large sector of the city centre was converted into a **pedestrian** precinct almost 20 years ago.

Aerial view of the Munich city centre.

Centro Ciudad

Gran parte de los atractivos de Munich se encuentran en el centro de la ciudad y es fácil llegar a ellos. Aunque desde hace mucho tiempo el **Centro de la ciudad** ya no está más separado de la zona aledaña a los muros de la ciudad, el corazón medieval de la ciudad se reconoce todavía fácilmente. Como testigo de la anterior delimitación quedan las tres **Puertas de la Ciudad,** la **Isar-Tor** el Este, la **Sendlinger Tor** al Sur y la **Karlstor** al Oeste. La cuarta puerta -la Schwabinger Tor (Puerta de Schwabing)- estaba situada en la Odeonsplatz, al Norte. En el centro de la ciudad es posible admirar por ejemplo la **Residencia,** numerosas iglesias importantes, el **Nuevo y el Viejo Municipio,** la **Cervecería Real,** el **Mercado de Víveres** y la **Marienplatz.** Desde hace casi dos decenios un amplio sector del centro de la ciudad ha sido transformado en **zona peatonal.**

Vista aérea del centro de Munich

15

Marienplatz

Marienplatz has been the centre of Munich for centuries. It used to be at the crossroads of the trade routes, and the grain market and public entertainments were held there. Nowadays it lies at the centre of the city's huge pedestrian precinct. At the centre of the square is the **Mariensäule** (Mary's Column) erected by Elector *Maximilian I* in 1638 to give thanks for the fact that Munich had survived the Thirty Years' War without being destroyed, although it was conquered by the Swedes.
The most striking building in Marienplatz is the **Neue Rathaus** (New Town Hall) built in the second half of the 19th century, with its Neogothic façade and 80-metre tall tower crowned by the heraldic figure symbolising the town - the Child of Munich (Münchner Kindl).

Marienplatz

Desde hace siglos la **Marienplatz** constituye el centro de Munich -la misma en un tiempo representaba el punto de cruce de las vías comerciales, en ella se llevaba a cabo el mercado de los cereales y se presentaban espectáculos públicos. Hoy es el centro de la vasta zona peatonal de Munich. Al centro de la plaza se encuentra la **Mariensaeule** (Columna de María), erigida por el príncipe elector *Maximiliano I* en l638 en señal de agradecimiento por haber superado Munich la guerra de los Treinta años sin haber sido destruída, a pesar de la conquista por parte de los Suecos.
El edificio que más llama la atención en la Marienplatz es el **Nuevo Municipio**, construído en la segunda mitad del siglo 19°, con su fachada neogótica y la torre de 80 metros de altura, coronada por la figura aráldica símbolo de Munich -el Niño de Munich (Münchner Kindl).

Marienplatz with the Frauenkirche and the New Town Hall.

New Town Hall with Mariensäule ▶▶

Marienplatz con el Frauenkirche y el Municipio Nuevo

Municipio Nuevo con la Columna de María (Mariensaeule) ▶▶

New Town Hall: Carillon

Municipio Nuevo: Carillón

New Town Hall, The Carillon

The **carillon** incorporated in the New Town Hall tower, whose 43 bells ring at 11 o'clock every day, is a particular attraction. The brightly-coloured figures represent the mediaeval tournament held in 1568 when *Wilhelm V* married *Renata von Lothringen*, while the dance of the coopers' guild in the lower part commemorates the terrible year of plague in 1517 which the town had survived.

To the east, Marienplatz is bounded by the **Alte Rathaus** (Old Town Hall), built in 1470 under the supervision of *Jörg Ganghofer*. The building has been restructured several times; it was almost totally destroyed in 1944, but the inner room described as "the most perfect Gothic room" was extensively rebuilt.

Nuevo Municipio- El Carrillon

Un atractivo particular lo representa el **Carrillón** incorporado a la torre del **Nuevo Municipio**, con sus 43 campanas que suenan todos los días a la hora 11. Las figuras de colores vivos representan el torneo medieval que tuvo lugar en 1568 con motivo de las bodas de *Guillermo V* con *Renata de Lothringen*, mientras que la danza de los barrileros en la parte inferior recuerda la emergencia superada después en el año de la peste o sea en l517.

Al lado oriental la Marienplatz se encuentra delimitada por el **Viejo Municipio**, edificado en 1470 bajo la dirección de *Joerg Ganghofer*. El edificio ha sido reestructurado varias veces y en l944 sufrió una destrucción casi total pero sin embargo fué posible restablecer el salón interior conocido como "la sala gótica más perfecta".

Marienplatz with Mariensäule, and the Old Town Hall in the background.

Marienplatz con la Columna de María, en segundo plano el antiguo Municipio

Frauenkirche

One of the most famous symbols of Munich is the **Frauenkirche**, whose two brick towers can be seen from afar. The burgers of Munich, who had made their fortunes from trade, built the Frauenkirche in 1468-1494 to replace the 13th century **Marienkirche**, erecting a monument to themselves. The master builder was *Jörg von Halspach* (called *Ganghofer*). The monumental Gothic building was seriously damaged during the Second World War, and later rebuilt in three stages. The southern side nave of the Frauenkirche contains the magnificent **funeral monument of Kaiser Ludwig**, built in 1622 in memory of this member of the Wittelsbach family who died in 1347, long before the church was built.

Frauenkirche. south window: late-Gothic stained glass (c. 1500).▶▶

Frauenkirche

Uno de los símbolos más famosos de Munich es la **Frauenkirche**, cuyas torres de ladrillo se divisan a gran distancia. Los ciudadanos de Munich, enriquecidos gracias al comercio, edificaron la Frauenkirche en los años 1468-1494 en lugar de la **Marienkirche** construída en el siglo XIII, erigiéndose solos un monumento. El director de las obras de construcción era *Joerg von Halspach* (llamado *Ganghofer*). La monumental construcción gótica sufrió serios daños durante la segunda guerra mundial y seguidamente fué reconstruída en tres fases de restauración. En la nave lateral meridional de la Frauenkirche se encuentra el **fastuoso monumento fúnebre del Rey Luis**, realizado en 1662 como homenaje al exponente de los Wittelsbach fallecido en 1347, mucho tiempo antes de la construcción de la iglesia.

Frauenkirche, vitral del lado sur: pintura en vidrio de estilo tardo gótico (1500 aproximadamente) ▶▶

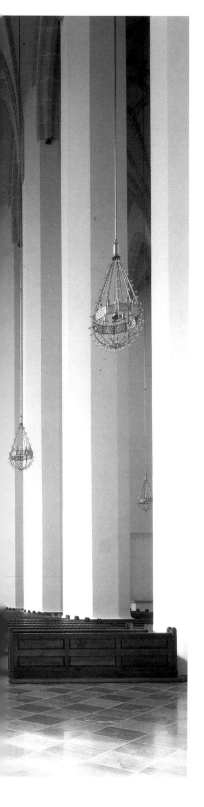

Karlsplatz, Neuhauserstrasse and Kaufingerstrasse

Pedestrian precinct between Marienplatz and Karlsplatz (top).
Karlsplatz ("Stachus") (bottom)

Zona Peatonal entre la Marienplatz y la Karlsplatz (parte de
arriba)
Karlsplatz ("Stachus") (parte de abajo)

On the way from the main railway station to Marienplatz, the first square the visitor comes to is **Karlsplatz**, which the townspeople call **"Stachus"** after the landlord of a biergarten which once stood on the site. The **Karlstor** (Karl's Tower), built around 1300, stands on this square; the towers which still survive today were added in 1791. Under the Stachus is an impressive shopping centre containing shops and cafes, while above it is the start of the huge **pedestrian precinct** which runs from here, across Neuhauserstrasse and Kaufingerstrasse as far as Marienplatz.

Halfway between Karlsplatz and Marienplatz is **St. Michael's Church,** the largest Renaissance church north of the Alps, designed in the 16th century by Dutch architect *Friedrich Sustris* and rebuilt after being destroyed during the Second World War. The cylindrical vault which dominates the empty interior is the second-largest in the world, surpassed only by S. Peter's in Rome.

Dirigiéndose desde la estación principal hacia la Marienplatz se llega primero a la **Karlsplatz**, que los habitantes de Munich bautizaron con el nombre de **Stachus**, en nombre del mesonero de un "jardín de la cerveza" que ya no existe más. Aquí se encuentra la **Karlstor**, contruída alrededor del 1300 y dotada en 1791 de las torres que es posible admirar hasta hoy.

Bajo la Stachus se encuentra un imponente centro de compras con tiendas y cafés, mientras que por encima comienza la amplia **zona peatonal**, que se extiende desde aquí, a través de la Neuhauser- y la Kaufingerstrasse hasta la Marienplatz.

A mitad del camino entre la Karlplatz y la Marienplatz se encuentra la iglesia de **San Miguel**, la más grande iglesia del renacimiento al norte de los Alpes, proyectada en el siglo 16° por el arquitecto holandés *Friederich Sustris* y reconstruída después de la destrucción durante la Segunda Guerra Mundial. Su bóveda cilíndrica que domina el espacio interior vacío es la segunda en el mundo como tamaño, antecedida sólo por la de San Pedro en Roma.

S. Michael's Church in Neuhauserstrasse

Iglesia de San Miguel en la Neuhauserstrasse

Alter Hof

Vieja Corte - "Hofbräuhaus"

The **Alte Hof** (Old Court), situated not far from Marienplatz at the end of Burgstrasse, was the first residence of the *Wittelsbachs*, who ruled here from 1253 until the 15th century. It is pleasant to sit in the shade of the trees, enjoying a moment of peace in the midst of the big city, while the gaze ranges over the mediaeval rooftops.

Right around the corner is one of the biggest tourist attractions in Munich, the **Hofbräuhaus**. It was built in 1896 to replace the previous royal brewery which stood on the same site, and became grimly renowned in 1921, when *Hitler's* SA first revealed its violence in a clash with the Social Democrats.

La **Vieja Corte**, situada a poca distancia de la Marienplatz al final de la Burgstrasse, fué la primera residencia de los *Wittelsbach*, que reinaron aquí desde 1253 hasta el siglo 150. A la sombra de los árboles es posible gozar de una placentera traquilidad en medio a la gran ciudad, dejando recrear la vista en los techos medievales.

Precisamente detrás de la esquina se encuentra uno de los mayores atractivos tusísticos de Munich, la **"Hofbräuhaus"**. Fué construída en 1896 en lugar de la cervecería real anterior y en l921 adquirió una triste fama ya que las SA de *Hitler* mostraron en el lugar por vez primera su faz violenta durante el encuentro con los socialdemocráticos.

Old Court

La "Antigua Corte"

Hofbräuhaus

Hofbräuhaus

Victual Market

Victual Market: biergarten near S. Peter's (top and bottom left). Carnival (bottom right) with Liesl Karlstadt Fountain and Valentin Fountain (right-hand page, bottom).

Mercado de Víveres: Jardín de la Cerveza en las cercanías de San Pedro (arriba y abajo a la izquierda) Carnaval (abajo a la derecha) y la Fuente de Liesl Karlstadt y la Fuente Valentín (página a la derecha parte de abajo)

The **Victual Market** at the foot of Petersbergl (S. Peter's Hill) is the main city market where practically all sorts of "victuals" can be purchased. The market becomes especially colourful on Mardi Gras, when the traditional "market women's dance" is held. Six commemorative fountains with statues of famous Munich folk singers and actresses stand among the stalls.

Mercado de Víveres

El **mercado de víveres**, a los pies de la Petersbergl (Colina de San Pedro), es el mercado central de la ciudad, donde es posible comprar prácticamente cualquier clase de "bastimento" (palabra arcaica para denominar los "productos alimenticios"). La confusión crece el Martes gordo de Carnaval, cuando se lleva a cabo la tradicional "danza de las cambalacheras del mercado". Entre los mostradores del mercado se colocan seis fuentes conmemorativas con estatuas de famosos cantantes y actores populares de Munich.

From S. Peter's

On Petersbergl, south-east of Marienplatz, stands the oldest church in Munich, **S. Peter's**, whose foundations probably date back to before the town was founded by *Heinrich the Lion* in 1158. In 1181 the Romanesque building was extended, and a new Gothic building was constructed after the great fire of 1327, subsequently transformed into Renaissance style in the 17th century. S. Peter's was also seriously damaged during the Second World War, and had to be totally restored after the war ended. The material salvaged was also used to reconstruct the **High Altar**, built by *Egid Quirin Asam* in the 18th century.

S. Peter's parish church with Lion Tower (top) and central nave towards High Altar (bottom).

Desde San Pedro

En la Petersbergl, al sureste de la Marienplatz, se yergue la más antigua iglesia de Munich, **San Pedro**, cuyos cimientos existían probablemente ya antes de la fundación de la ciudad, ocurrida en 1158 por obra de *Heinrich el León*. En 1181 se amplió la construcción románica y después del grande incendio de 1327 se construyó un nuevo edificio gótico, transformado en estilo renacimiento en el siglo 17o. También San Pedro sufrió muchos daños durante la Segunda Guerra Mundial y tuvo que restaurarse por completo en la postguerra. En esta ocasión, de los restos recuperados fué posible reconstruír el **Altar Mayor**, obra original realizada en el siglo 18° por *Egid Quirin Asam*.

Iglesia parroquial de San Pedro con la Torre de los Leones (arriba) y la nave central contra el Altar Mayor (abajo)

To the Isar Gate

A few yards away from S. Peter's Church are the **Ruffini Houses**, built near the **Cattle Market** at the turn of the century.

The only one of the three city gates whose original structure has been preserved to the present day is the **Isartor**, situated on the eastern edge of the city centre. It was built in the 14th century, and commemorates the period of *Kaiser Ludwig* of Bavaria. The fresco between the two octagonal defensive towers was painted by Bernhard Neher in 1835, and portrays the triumphal entry of *Kaiser Ludwig* after a victory over the Habsburgs. The south tower houses the **Valentin Museum**, which contains numerous mementos of popular actor *Karl Valentin*.

En la Puerta del Isar

A pocos metros de distancia de la iglesia de San Pedro se encuentran situadas las **Casas Ruffini**, construídas entre el siglo pasado y este en el **Mercado Bovino**.

La única de las tres puertas de la ciudad de Munich que conserva hasta hoy la estructura original es la **Isartor**, situada al este de la ciudad. Se edificó en el siglo 14° y recuerda la época del *Rey Ludovico* de Baviera. El fresco que se encuentra entre las dos torres defensivas octagonales fué realizado en 1835 por Bernhard Neher y retrata la entrada triunfal del *Rey Ludovico* después de una victoria en los Habsburger. La torre meridional hospeda el **Valentin-Musaeum** (Museo Valentin), que contiene innumerables recuerdos del popular actor *Karl Valentin*.

Ruffini Houses at Cattle Market (top)
Isartor (Isar Gate); in the background S. Peter's, Heiliggeistkirche and Frauenkirche (bottom)

Casas Ruffini en el "Mercado Bovino" (arriba) Puerta del Isar (Isartor), en segundo plano San Pedro, la Heligge istrircke (Iglesia del Espiritu Santo) y la Frauenkirche (abajo)

Sendlinger Tor - Asamkirche

The shape of the **Sendlinger Tor** (Sendling Gate) on the southern edge of the city centre only dates back to the beginning of this century, whereas the two towers are 14th century. Not far away, in Sendlinger Strasse, are the **Asamhaus** (Asam House) and **Asamkirche** (Asam Church). Both are named after painter, sculptor and architect Egid Quirin Asam who lived and worked here with his brother Kosmas Damian, a specialist in fresco painting and decoration. The church dedicated to S. Johannes Nepomuk was built by the brothers as a private church next to their home. Both the façade and the interior of the church demonstrate that when building it, the Asam brothers did not have to bow to a client's requirements; they produced a building of pure Baroque magnificence.

Al margen meridional del centro de la ciudad se encuentra situada la **Sendlinger Tor**, cuya forma actual se remonta sólo al comienzo del siglo 14°. No distante de aquí, a lo largo de la Sendlinger Strasse, se encuentran la **Asamhaus** (Casa Asam) y la **Asamkirche** (Iglesia Asam). Ambas deben su propio nombre al pintor, escultor y arquitecto Egid Quirin Asam, el cual vivió allí y trabajó junto con el hermano Kosmas Damian, especializado en decoraciones y pintura a fresco. La iglesia dedicada al santo Juan Nepomuk fué construída por los dos como iglesia privada junto a su habitación y tanto la fachada como el interior de la iglesia demuestran que los hermanos Asam, en la construcción de la iglesia, no tuvieron que someterse a las imposiciones de quienes la ordenaron. En efecto ellos realizaron una construcción puramente de barroco fastuoso.

Sendlinger Tor (bottom)
Asamkirche (right)

Sendlinger Tor (abajo)
Iglesia de los "Asam" (a la derecha)

Odeonsplatz - Theatinerkirche

The **Theatinerkirche** in Odeonsplatz was built between 1663 and 1688 by two Italian architects, *Agostino Barelli* and *Enrico Zucalli*. It was donated by Elector *Ferdinand Maria* and *Henriette Adelheid of Savoy* to celebrate the birth of an heir to the throne. The church features soaring twin towers and a Baroque cupola, and the interior is given a festive look by the sumptuous stucco decorations. The High Altar with the four patron saints of the Elector's family is a reconstruction of the original, destroyed during the war.
The outer façade was transformed into the Rococo style between 1765 and 1768 by *François de Cuvilliés*.

La Odeonsplatz - Theatinerkirche

La **Theatinerkirche**, situada en la Odeonsplatz, fué edificada desde 1663 hasta 1688 por dos arquitectos italianos, *Agostino Barelli y Enrico Zucalli*. Fué fundada por el príncipe elector *Ferdinando María* y por *Enriqueta Adelaida de Saboya*, que quisieron festejar con la misma el nacimiento de un sucesor al trono. Las torres gemelas y la cúpula barroca de la iglesia son estilizadas, el interior está impregnado de un ambiente solemne, lleno de abundantes decoraciones en estuco. El Altar Mayor con los cuatro patrones de la casa del príncipe elector constituye una reconstrucción del original destruído durante la guerra. La fachada exterior fué transformada en estilo rococó entre 1765 y 1768 por *Francois de Cuvilliés*.

Odeonsplatz with Feldherrnhalle, equestrian statue of Ludwig I and Theatiner Kirche
Court Garden with circular temple (top) ▶▶
Theatiner Kirche: façade and central nave (bottom left and right) ▶▶

La Odeonsplatz con la Feldherrenhalle, la estatua e-cuestre de Ludovico I y la Theatiner Kirche
Jardín de Corte con templo circular (arriba) ▶▶
Theatiner Kirche: fachada y nave central (parte de a-bajo a la izquierda y derecha) ▶▶

Feldherrenhalle - Court Residence

The **Feldherrenhalle** (Generals' Hall) is situated at the southernmost edge of Odeonsplatz, between **Theatinerstrasse** with its elegant shops and Residenzstrasse. It was built in the mid-19th century by Friedrich von Grtner on the model of the Loggia dei Lanzi in Florence, as a hall of fame for generals Count Tilly and Karl-Philipp Wrede. During the Nazi period the Feldherrenhalle was the mid-point of an annual commemorative march, and it was here that Hitler's first attempted putsch failed in 1923.

The largest historical monument in Munich is the **Court Residence**, to the east of Odeonsplatz and Residenzstrasse. It was founded on the reconstruction in the 16th and 17th centuries of the "New Fortress" which the Wittelsbachs had built in the 14th century to protect themselves against external enemies and discontented fellow-citizens alike. The residence, one of the most important testimonies to court life in Europe, consists of the royal building in Odeonsplatz and numerous annexes which house priceless artistic treasures. Particularly magnificent are the Rococo **Ahnengalerie** (Forebears' Gallery) and the **Antiquities Collection**, the first antique museum north of the Alps, built by Duke *Albrecht V* in Renaissance style in 1571.

En el extremo meridional de la Odeonsplatz se encuentra -entre la **Theatinerstrasse** con sus elegantes tiendas y la Residenzstrasse - la **Feldherrenhalle**. Fué construída a mediados del siglo 19º por Friedrich von Gaertner por modelo de la Loggia de los Lanzi en Florencia, en función de panteón para los generales conde de Tilly y Karl-Philipp Wrede. Durante el período nacional - socialista la Feldherrenhalle representaba la etapa central de una marcha conmemorativa anual, y en 1923, presenció el fracaso del primer intento de putsch por parte de Adolfo Hitler.

El más grande monumento histórico de Munich es la **Residencia**, al este de la Odeonsplatz y de la Residenzstrasse. Nació gracias a la reconstrucción, durante el curso del siglo 16º y 17º, de la "Nueva Fortaleza" que los Wittelsbach habían mandado edificar en el siglo 14º como protección no sólo contra los enemigos externos, sino también contra la indignación de los propios conciudadanos. La Residencia constituye uno de los mayores testigos de vida de corte en Europa y está compuesta, aparte del edificio real en la Odeonsplatz, por innumerables construcciones anexas, que hospedan patrimonios artísticos de valor. Particular pompa caracteriza la **Ahnengalerie** (galería de las aves) en estilo rococó y la **Colección de Antigüedades**, el primer museo de antigüedades situado al norte de los Alpes, hecho construír por el duque *Alberto V* en el 1571 en estilo renacimiento.

Theatiner Strasse (top)
Feldherrenhalle (centre)
Residenzstrasse with Court Residence (bottom)
Court Residence: Antiquities Collection (top) ▶ ▶
Forebears' Gallery (bottom) ▶ ▶

Theatiner Strasse (arriba)
Feldherrenhalle (en el centro)
Residenzstrasse con la Residencia (abajo)
Residencia: Collección de Antigüedades (arriba) ▶ ▶
Galería de las Aves (abajo) ▶

The entire **Residence** complex can be visited in tours of the **Residence Museum** lasting several hours. The visit includes the **Grottenhof** (Grotto Court) built between 1581 and 1588, the **Rich Room** built by *François Cuvilliés* in 1730, and numerous collections of objects d'art and porcelain exhibited in other rooms. The tour does not include the collections in the **Residence Treasury**, the **State Coin Collection** or the **State Egyptian Art Collection**.

Es posible visitar el conjunto completo de la **Residencia** siguiendo itinerarios más largos a través del **museo de la Residencia**. La visita comprende también el **Grottenhof** (Patio de las Grutas) realizado entre 1581 y 1588, la Sala Rica construída en l730 por *Francois Cuvilliés* e innumerables colecciones de objetos artísticos y porcelanas expuestas en otras salas. No están incluídas en el recorrido las colecciones de la **Tesorería de la Residencia**, la **Colección Estatal de Monedas** y la **Colección Estatal de Arte Egipcio**.

Court Residence: Fountain Courtyard (top)
Tapestry in Residence Museum, made in Munich c. 1730-1770 (bottom)
Egyptian statute dating from c. 1250 B.C., State Egyptian Art Collection (right)

Residencia: Patio de la Fuente (arriba)
Tapiz en el Museo de la Residencia, realizado en Munich alrededor del 1730-1770 (abajo)
Estatua egipcia que se remonta al año 1250 a C. aproximadamente, Colección Estatal de Arte Egipcio (a la derecha)

National Theatre/Cuvilliés Theatre

The twice-destroyed **National Theatre** also belongs to the Residence complex. Originally built between 1811 and 1818 to a design by *Karl von Fischer* in the style of a classical Greek temple, it was totally destroyed by fire in 1823 and rebuilt by 1825. After being damaged in the Second World War the theatre remained as it was for 20 years until it was rebuilt on the basis of the original plans. With its 2100 seats, the National Theatre is one of the largest opera houses in Europe.

Even more impressive is the **Cuvilliés Theatre** or Old Residence Theatre, designed in magnificent Rococo style by *François Cuvillies* in 1750. The inner structure of the Cuvillies theatre was saved from destruction in the war because it was promptly dismantled and stored in a safe place.

Teatro Nacional/Teatro Cuvilliés

Al conjunto de la Residencia pertenece también el **Teatro Nacional**, que ha sufrido dos destrucciones. Originalmente edificado entre 1811 y 1818 fué proyectado por *Karl von Fischer* en estilo templo griego clásico, fué completamente destruído por un incendio en el 1823 y reconstruído dentro del 1825. Después de los daños sufridos en el curso de la Segunda Guerra Mundial el teatro se conservó tal cual durante 20 años, hasta que fué reconstruído en base a los antiguos proyectos. Con 2100 asientos el Teatro Nacional representa uno de los más grandes teatros de ópera en Europa.

Todavía más imponente es el **Teatro Cuvilliés**, o Viejo Teatro de la Residencia, proyectado en despampanante estilo rococó por *Francois Cuvillies* en 1750. La estructura interior del Teatro Cuvillies se salvó de las destrucciones de la guerra porqué fué desmantelada con rapidez y conservada en un lugar seguro.

National Theatre (left)
and Old Residence Theatre or Cuvillies Theatre (bottom)

Teatro nacional (a la izquierda) y Antiguo Teatro de Residencia
o también Teatro Cuvillies (abajo)

From Odeonsplatz to Lenbachplatz

Not far from Odeonsplatz is **Wittelsbacherplatz**, bordered by impressive palaces, with a classical equestrian statute of Elector *Maximilian I* at the centre.

When the old town fortifications were demolished, starting in 1791, new building land become available next to Karlsplatz, and **Lenbachplatz** and **Maximiliansplatz** were built. Lenbachplatz contains the loveliest fountain in Munich, called **Wittelsbacherbrunnen**, built in 1895 by *Adolf von Hildebrand* to commemorate the completion of the city aquaduct. The **Neue Börse** (New Stock Exchange) and the **Künstlerhaus** (Artists' House) are also situated here.

De la Odeonsplatz a la Lenbachplatz

A poca distancia de la Odeonsplatz se encuentra situada, delimitada por imponentes edificios, la **Wittelsbacherplatz**, con la estatua a caballo al centro, clasicista, que representa el principe elector *Massimiliano I*.

Debido a que en 1791 tuvo comienzo el derribamiento de la vieja fortificación de la ciudad, junto a la Karlsplatz se creó un nuevo terreno de construcción. Fué así cómo surgieron la **Lenbachplatz** y la **Maximilianplatz**. La Lenbachplatz acoge la más hermosa fuente de Munich, la **Wittelsbacherbrunnen**, realizada en 1895 por *Adolf von Hildebrand* en homenaje al acueducto de la ciudad apenas terminado. Aquí se encuentra también la **Nueva Bolsa** y la **Casa de los Artistas**.

Wittelsbacher Platz: equestrian statute of Maximilian I (bottom)
Maximilian Platz: monument to Maximilian II, King of Bavaria (next page, top left)
Mövenpick Restaurant in Lenbach Platz (top right)
Lenbach Platz: Wittelsbach Fountain (bottom right)

Plaza Wittelsbach (Wittelsbacher Platz): estatua ecuestre de Maximiliano I (abajo)
Maximilian Platz: monumento de Maximiliano II Rey de Baviera (página siguiente, arriba a la izquierda)
Restaurante Mövenpick en la Lenbach-Platz (arriba a la derecha)
Lenbach Platz: Fuente de los Wittelsbach (abajo a la derecha)

Old Botanic Gardens

The **Alte Botanische Garten** (Old Botanic Gardens) lost their original function in 1935 when they were turned into a town park. All that remains of the original structure is the portal in Karlsplatz. When the park was restructured, the Park Café and the Neptune Fountain, created by sculptor *Joseph Wackerle*, were added.

Antiguo Jardín Botánico

El **Antiguo Jardín Botánico** perdió la función original desde 1935, cuando se transformó en parque para la ciudad. De la antigua estructura queda solamente la vieja portada en la Karlsplatz. Con motivo de la reestructuración del parque se realizaron el Café del Parque y la Fuente de Neptuno, creada por el escultor *Joseph Wackerle*.

Old Botanic Gardens with Neptune's Fountain and Frauenkirche

Antiguo Jardín Botánico con la Fuente de Neptuno y la Frauenkirche

Königsplatz

Between 1816 and 1862 King *Ludwig I* had **Königsplatz** built as an arts forum on the classical model, with superb Greek-temple style buildings and lawns. **Leo von Klenze** designed the **Propylaea** (1848-1862) on the model of the Acropolis in Athens, and the **Glyptothek** (Glyptograph Museum) (1816-1830) houses the collection of ancient sculptures made by *Ludwig I* when he was crown prince. Opposite the Glyptograph Museum is the **State Antiquities Collection**.

Königsplatz: the Propylaea and the Glyptograph Museum (top)
Late antique mosaic, North Africa 2nd-3rd century, Glyptograph Museum (bottom left)
Ancient vase painting, Etruria, c. 480 B.C.; State Antiquities Collection (bottom right)

Koenigsplatz

Por iniciativa del Rey *Ludovico I* se construyó entre el 1816 y el 1862 la **Koenigsplatz** en calidad de foro cultural, en estilo clásico, con superficies verdes y edificios representativos al estilo templo griego. *Leo von Klenze* proyectó los **Propíleos** (1848-1862) por modelo del Acrópolis de Atenas y la **Glipto-teca** (1816-1830) hospeda la colección de esculturas antiguas realizada por *Ludovico I* durante su principado hereditario. Frente a la Glipcoteca se encuentra la **Colección Estatal de Antigüedades**.

F.Königsplatz: los Propíleos y la Gliptoteca (arriba)
Mosaico Tardo-Antiguo, Norte de Africa II/III siglo, Gliptoteca (abajo a la izquierda)
Antigua pintura vascular, Etruria, 480 a.C. aproximadamente Colección Antigua Estatal (abajo a la derecha)

Lenbachhaus (bottom) ▶▶
Wassily Kandinsky (1866-1944) "Improvisation Klamm 1914" (City Gallery in Lenbachhaus)

Casa de Lenbach (abajo) ▶▶
Wassily Kandiski (1866 - 1944)
Paréntesis de improvisación 1914
(galería del Estado en la Casa de Lenbach)

Lenbachhaus

Works of modern art are to be found in Luisenstrasse, not far from the Propylaea; **Lenbachhaus** is a Florentine-style villa built by painter *Franz von Lenbach* (1836-1904) for his own use. Today, the villa houses the **Civic Gallery**, which contains important paintings by *Kandinsky* and other 19th and 20th century artists in addition to works by Lenbach.

Lenbachhaus (Casa Lenbach)

En la Luisenstrasse, a poca distancia de los Propíleos, es posible admirar obras artísticas modernas; la **Lenbachhaus** es una quinta de estilo florentino, hecha construír para sí mismo por el pintor *Franz von Lenbach* (l836-l904). Hoy día la quinta hospeda la Galería Cívica, donde junto con las obras de Lenbach se encuentran expuestas importantes pinturas de *Kandinsky* y de otros pintores del silo 19° y 20.

Alte Pinakothek

By order of *Ludwig I, Leo von Klenze* built the **Alte Pinakothek** (Old Art Gallery) between 1826 and 1836; on its opening it was the largest art gallery in the world. It contains a world-famous collection of masterpieces of European painting from Gothic to Baroque, the original nucleus of which consisted of the Munich collection of the *Wittelsbach* family.

Old Art Gallery: Albrecht Dürer (1471-1528) "The Four Apostles" (1526)

Peter Paul Rubens (1577-1640) "Helene Furment and son" (c. 1635)

Antigua Pinacoteca

Siempre por orden de *Ludovico I Leo von Klenze* se realizó entre 1826 y 1836 la **Antigua Pinacoteca** que, en el momento de su apertura, constituyó la más grande galería del mundo. Acoge una colección conocida en todo el mundo de obras maestras de la pintura europea desde el gótico hasta el barroco, cuyo núcleo originario está representado por la colección de los *Wittelsbach*.

Antigua Pinacoteca: Albrecht Duerer (1471-1528) "Los cuatro Apóstoles" (1526)

Peter Paul Rubens (1577-1640) "Helene Furment e hijo" (1635 aproximadamente)

Neue Pinakothek

The **Neue Pinakothek** (New Art Gallery), based on *Ludwig I's* private collection, is devoted to 18th and 19th century art. The major works in the collection are by *Böcklin, Leibl, Spitzweg, Degas, Manet* and *Van Gogh*. The New Art Gallery was destroyed during the Second World War, and only re-opened in 1981. The new sandstone and granite building was designed by **Alexander von Branca**.

New Art Gallery: Vincent Van Gogh (1853-1890): "Vase of Sunflowers" (1888) (right)
Paul Cézanne (1839-1906) "Still Life" c. 1885

Nueva Pinacoteca

La **Nueva Pinacoteca**, fundada en base a la colección privada de *Ludovico I*, está dedicada al arte del siglo 18° y 19°. Las piezas principales de la colección están representadas por obras de *Böcklin, Leibl, Spitzweg, Degas, Manet y Van Gogh*. También la Nueva Pinacoteca fué destruída en el curso de la Segunda Guerra Mundial y vuelta a abrir solamente en 1981. La nueva construcción de arenisca y granito fué realizada bajo proyecto de **Alexander von Branca**.

Nueva Pinacoteca: Vincent Van Gogh (1853-1890)
"Florero con girasoles" (1888) (derecha)
Paul Cézanne (1839-1906) "Naturaleza Muerta" 1885 aproximadamente

Schwabing

Schwabing

Ludwigsstrasse, a magnificent street between Odeonsplatz and the **Siegestor**, is one of the superb constructions made by order of King *Ludwig I*. Among other buildings it contains the **University** and the **Bavarian State Library. Geschwister-Scholl-Platz**, opposite the university, commemorates the young freedom fighters of the "White Rose" organisation, executed in 1943 because of their resistance to the Nazi regime.

Behind Siegestor begins **Leopoldstrasse**, the main artery in the Schwabing district, which is nicknamed "Mile of Chic" because of its numerous bistros, cafés and boutiques, where the motto "see and be seen" is still applicable today, just as it was in the past, when painters and men of geniuses met here.

A las estructuras representativas realizadas por encargo del Rey *Ludovico I* pertenece también la **Ludwigstrasse**, una fastuosa calle entre la Odeonsplatz y **Puerta Victoria**, en la cual se encuentra entre otras cosas, el edificio de la **Universidad y la Biblioteca Estatal Bavaresa**. La **Geschwister-Scholl-Platz**, frente a la Universidad, recuerda a los jóvenes combatientes de la "Rosa Blanca", ajusticiados en l943 debido a la resistencia contra el régimen nacional socialista.

Detrás de Puerta Victoria comienza la **Leopoldstrasse**, el eje principal del barrio de Schwabing, que debe su sobrenombre "Lo mejor de la elegancia" a la cantidad de bistrots, cafés y boutiques y donde todavía vale el dicho "Mirar y ser mirados", precisamente como en los tiempos en que aquí se daban cita los pintores y los genios.

Schwabing: Ludwigsstrasse with Siegestor and city centre

Schwabing: Ludwigsstrasse con Puerta Victoria y Centro Ciudad

Siegestor (top left)
University Fountain and Ludwigskirche (top right)
Street scenes in Schwabing (bottom left and right)

Puerta Victoria (arriba a la derecha)
Fuente de la Universidad y Ludwigskirche (Iglesia de
Ludovico) (arriba a la derecha)
Escenas callejeras en Schwabing :

English Gardens

The **English Gardens**, opened in 1792, are also known as the "green lung" of Munich. The English-style landscaped gardens, 5 kilometres long and up to 1 kilometre wide, are crossed by numerous streams. In recent years the gardens have been the subject of frequent controversy because of the nude bathers, who no longer keep to the "authorised nudist areas". Anyone looking for peace and quiet will find numerous biergartens among the lawns and paths of the gardens.
Some of the original buildings still survive, such as the **Chinese Tower** (1790) and **Rumford House** (1791), named after the creator of the park, Earl *Rumford*. The **Monopteros** (circular temple) was built in 1838 by *Leo von Klenze*, and the **Japanese Tea House** on the banks of a pond in the southern part of the gardens was donated by Japan on the occasion of the 1972 **Olympic** Games.

English gardens with Monopteros (top right)
Biergarten at Chinese Tower (small picture, bottom)

Jardín Inglés

El **Jardín Inglés**, abierto en 1792, es llamado también el "pulmón verde" de Munich. El jardín de estilo inglés mide cinco kilómetros de longitud y 1 kilómetro de ancho y se encuentra atravesado por numerosos riachuelos. En los últimos años el Jardín Inglés ha sido repetidas veces objeto de protesta debido a los bañistas desnudos que desde hace tiempo se encuentran no solamente en los prados reservados a ellos, sino también en los demás lugares.
Quienes buscan la tranquilidad podrán encontrar aquí, junto a los prados y senderos para caminar, también numerosos "Jardines de la Cerveza".
Algunos de los edificios en el interior del Jardín Inglés se remontan propiamente al período de su construcción -esto vale para la **Torre China (1790) y para la Rumfordhaus** (Casa Rumford) (1791, bautizada con el nombre del creador del parque, el duque *Rumford*). El templo circular **Monopteros** fué edificado en 1838 por *Leo von Klenze*, la **Casa Japonesa del Té** situada a orillas de un laguito en el sector meridional fué donada por los Japoneses con motivo de los Juegos **Olímpicos** (1972).

Jardín Inglés con Monóptero (figura pequeña parte alta)
Jardín del la Cerveza en la Torre China (figura pequeña parte de abajo)

Haus der Kunst

The **Haus der Kunst** (Art House), designed by *Ludwig Troost* during the Nazi period, is situated in Prinzregentenstrasse to the south of the English Gardens. At that period, as the "German Art House", it housed the works considered artistic by the Nazi regime. It now houses the State Modern Art Gallery.

Casa del Arte

En la Prinzregentenstrasse, al sur del Jardín Inglés, se encuentra la **Casa del Arte**, un edificio proyectado por *Ludwig Troost* durante el período nacional-socialista que, en calidad de "Casa del Arte Alemán", acogió siempre las obras consideradas artísticas por los nacionales - socialistas que estaban en el poder. Hoy día se encuentra allí la Galería Estatal de Arte Moderno.

Haus der Kunst (Art House) (bottom)
Pablo Picasso (1881-1973) "Seated Woman" (1941) State Gallery in Haus der Kunst (top)

Casa del Arte (parte de abajo)
Pablo Picasso (1881-l973) "Mujer sentada" (1941) Galería Estatal en la Casa del Arte (parte de arriba)

National Museum

The **Bavarian National Museum**, built in 1900 by *Gabriel von Seidl*, also stands in Prinzregentenstrasse. The east wing has been preserved in Romanesque and the west wing in Rococo style; the west side is Renaissance and the tower is Baroque.

National Museum/Judith/Guildhall Room

The National Museum contains masterpieces of Bavarian art such as the **Strapmakers' Room** with various wood carvings, and the **Ignaz-Günther Room** with its Rococo sculptures. The **Weavers' Guild Office**, originally in the Augsburg Guildhall and now housed in the Bavarian National Museum, dates back to the 15th century. The office was painted in 1457 by Peter Kaltenhoff and restored in 1538 by *Jörg Breu the Younger*. The paintings, explained by painted verses, depict scenes from the Old Testament and the life of *Alexander the Great*, and are flanked on the wall panelling by portraits of Jewish prophets, heathen philosophers and Christian princes.

The alabaster statue of the naked Judith with the head of Holofernes was nade c. 1512 by *Conrad Meit* in Mecheln, and is an example of the influence of the Italian Renaissance on central European art.

Museo Nacional Bavarés, edificado en 1900 por *Gabriel von Seidl*. El ala del este se conserva en estilo románico, la de oeste en estilo rococó, el lado oeste de estilo renacimiento y la torre barroca.

Museo Nacional/Judith/Sala de la Casa de la corporación

En el interior del Museo Nacional se encuentran importantes obras maestras del arte bavarés, por ejemplo la **Sala de los fabricantes de Correas** con las distintas esculturas de madera o la **Sala Ignaz Guenther** con esculturas de estilo rococó. Al siglo 15° se remonta la **oficina de la Corporación de Tejedores**, procedente de la Casa de las Corporaciones de Augsburgo, que se encuentra actualmente en el Museo Nacional Bavarés. El estudio fué pintado en 1475 por Peter Kaltenhoff y restaurado en 1538 por *Joerg Breu, llamado el Joven*.

Las representaciones pictóricas explicadas con versos pintados, representan entre otras cosas, escenas del Antiguo Testamento y de la vida de *Alejandro Magno* y en los paneles de las paredes se encuentran retratos de profetas hebreos, filósofos paganos y príncipes cristianos.

La estatua de alabastro de **Judith** desnuda con la cabeza de Holofernes fué realizada hacia 1512 por *Conrad Meit* en Mecheln y representa un ejemplo de la influencia ejercida por el Renacimiento italiano en el arte centro europeo.

◀◀ *National Museum: Office of Augsburg Weavers' Guild*
Conrad Meit (active from c. 1512 to 1550/51) alabaster statue of
"Judith", c. 1512/14

◀◀ *Museo Nacional: Oficina de la Corporación de Tejedores de*
Augsburgo
Conrad Met (activo desde 1512 hasta 1550/51 aproximada-
mente- Estatua de alabastro "Judith", 1512-14 aproximada-
mente

On the Banks of the Isar

A lo largo de la ribera del Isar

From the Bavarian National Museum, the column supporting the **Angel of Peace** on the opposite bank of the Isar can be seen; this monument was erected in 1896 to commemorate the 25th anniversary of the 1871 peace treaty.

On the east bank of the Isar, at the end of the impressive Maximiliansstrasse, stands the **Maximilianeum**. Designed by *Friedrich Bürklein* between 1854 and 1874 in Neo-gothic style, the monument was originally designed as an educational centre for gifted children. Since 1949 it has been used as the headquarters of the Bavarian Regional Council.

One of the most recent cultural buildings in Munich is the **Am Gasteig arts centre**, opened in 1985. The building, long controversial, houses among other things the Civic Library and the "New Philharmonia", a concert hall seating 2,500.

A lo largo de la ribera del Isar

Del Museo Nacional Bavarés, sobre la otra ribera del Isar, es posible admirar la columna que sustenta el **Angel de la Paz**, un monumento erigido en 1896 para conmemorar el 25° anniversario de la conclusión de la paz en 1871.

En la ribera oriental del Isar, al final de la imponente Maximilianstrasse, es posible admirar el **Maximilianeum**. Proyectado por *Friedrich Buerklein* entre 1854 y 1874 de estilo neogótico, el monumento fué inicialmente concebido como centro de formación para niños dotados. Desde 1949 se utiliza como sede del Consejo Regional Bavarés.

Entre las más recientes estructuras culturales de Munich recordamos el **Centro Cultural am Gesteig**, abierto en 1985. El edificio, objeto de protestas por mucho tiempo, hospeda entre otras cosas la Biblioteca Municipal y la "Nueva Filarmónico", sala para conciertos de 2500 puestos.

Angel of Peace (bottom)
Maximiliansstrasse with Maximilianeum (top right)
Am Gasteig Arts Centre (right, centre and bottom)

Angel de la Paz (parte de abajo)
Maximilianstrasse con el Maximilianeum (parte de arriba a la derecha)
Centro Cultural Am Gesteig (a la derecha al centro y abajo)

Deutsches Museum

Between the city centre and the eastern districts of Munich, on an island in the Isar River, stands the largest technical museum in the world - the **Deutsches Museum**, opened in 1925. 15,000 objects are exhibited in over 30 sections along an almost 20 km long route, illustrating the development of the natural sciences, technology and industry. Among the most interesting sections are those devoted to aeronautics and astronautics, navigation, land transport vehicles and the mining industry, together with the planetarium and astronomical observatory.

Deutsches Museum

Entre el centro de la ciudad y los barrios orientales de Munich es posible visitar, en una isla del Isar, el más grande museo técnico del mundo, el **Deutsches Museum**, abierto en 1925. A lo largo de un recorrido de casi 20 kilómetros se encuentran expuestos, en más de 30 secciones, 15.000 objetos que ilustran el desarrollo de las ciencias naturales, de la técnica y de la industria. Entre las secciones más interesantes se descuellan las dedicadas a aeronáutica y cosmonáutica, navegación, medios de transporte terrestre, industria minera como también el planetario y el observatorio astrónomico.

Deutsches Museum: exterior view with the Isar (left-hand page)
Exhibition halls (right-hand page)

Deutsches Museum:: vista desde el externo con el Isar (página a la izquierda)
Secciones de exposición (página a la derecha)

Nymphenburg Castle

The summer residence of the Bavarian royal family, **Nymphenburg Castle**, was built in 1664 at the very gates of the court residence town of Munich. Following extensions and reconstructions over the centuries it became the most impressive Baroque castle in Germany.

Agostino Barelli built the first and central section on the model of an Italian villa for *Adelaide of Savoy*, the wife of Elector *Ferdinand Maria*. The four side pavilions were built onto it by Elector *Max Emanuel*, and many of the rooms in the central building were decorated with Rococo stucco work during the 18th century. The **Festival Hall** was built in 1755 by *Johann Baptist Zimmermannn* and *François de Cuvilliés*.

Since 1950 the south wing of the castle has housed the **Royal Stud Museum**, where magnificent carriages, including numerous richly decorated coronation coaches, are exhibited alongside paintings, drawings and harness.

Castillo de Nymphenburg

Precisamente en las puertas de la ciudad residencial de Munich se edificó a partir del 1664 la residencia de verano de la casa real bavaresa, el **castillo de Nymphenburg**. Gracias a ampliaciones y reconstrucciones nace en el curso de los siglos posteriores el más imponente castillo alemán Barroco.

Agostino Barelli había construído inicialmente la parte central por modelo de una casaquinta italiana hecha para *Adelaide de Saboya*, esposa del príncipe elector *Ferdinando Maria*. Los cuatro pabellones laterales fueron hechos anexar por el príncipe elector *Max Emanuel* y, en el curso del siglo 18°, numerosos locales del edificio central fueron decorados con estucos rococó. El **Salón de las Fiestas** fué realizado a partir del 1755 por *Johann Baptist Zimmermann y Francois de Cuvilliés*.

En el ala sur del castillo, desde 1950, encuentra su sede el **Marstallmuseum** (Museo de la Caballeriza), donde, junto con las pinturas, diseños y acabados de caballos están expuestas sobretodo carrozas lujosísimas, entre las cuales numerosas de ellas destinadas a coronaciones, ricamente adornadas.

Nymphenburg Castle: grounds with main buildings (left-hand page)
Magnificent carriage in the Royal Stud Museum (top)
Steinern Room (bottom)

Castillo de Nymphenburg: Parque con edificios principales (página a la izquierda)
Fastuosa carroza en el Museo de la Caballeriza (parte de arriba)
Sala Steinern (parte de abajo)

Mirror Room at Amalienburg (top left).
Grounds (top right)
New Botanic Gardens (bottom left)
Blutenburg, former princes' hunting castle (bottom right)

Sala de los Espejos en el Amalienburg (Castillo de Amalia)
(parte de arriba a la izquierda)
Parque (parte de arriba a la derecha)
Nuevo Jardín Botánico (abajo a la izquierda)
Blutenburg, ex castillo de caza principesco (parte de abajo a la
derecha)

Schleissheim Castle

Between 1734 and 1739 *François Cuvillies* built a hunting castle for Princess *Amalia*, called **Amalienburg**. Due to the perfect harmony between architectural form and decoration, it was considered the loveliest Rococo castle in Europe. Here too, the stucco decorations are the work of *Johann Baptist Zimmermann*.

In addition to the castle building, a visit to the Nymphenburg **park** is recommended. North of the castle park are the **New Botanic Gardens**, liberally planted before the First World War.

Not far from Nymphenburg is the 15th century **Blutenburg Castle**, which was destroyed during the 30 Years' War and later rebuilt.

Another important castle on the outskirts of Munich is **Schleissheim Castle** near Dachau. It consists of the **Old Castle**, destroyed in the war and later rebuilt, and the **New Castle**, built in the 18th century and surrounded by a huge park.

Castillo de Schleissheim

Entre 1734 y el 1739 *Francois Cuvilliés* construyó un pequeño castillo de caza para la princesa *Amalia*, bautizado **Amalienburg**. En virtud de su perfecta armonía entre forma arquitectónica y decoración, el mismo fué considerado el más hermoso castillo estilo rococó en Europa. También aquí la decoración en estuco fué realizada por *Johann Baptist Zimmermann*.

Aparte del edificio del castillo se aconseja la visita del **Parque de Nymphenburg**. Al norte del parque del castillo es posible admirar el **Nuevo Jardín Botánico**, que ya existía libremente con anterioridad a la Primera Guerra Mundial.

A poca distancia de Nymphenburg se encuentra situado el **Castillo de Blutenburg**, que se remonta al lejano siglo 15, destruído durante la Guerra de los Treinta Años y posteriormente reconstruído.

Otro importante castillo en las afueras de Munich es el **Castillo de Schleissheim**, en Dachau. Está constituído por el **Castillo Viejo**, destruído durante la guerra y sucesivamente reconstruído, y por el **Castillo Nuevo**, edificado en el siglo 18, rodeado por un extenso parque.

Schleissheim: new castle, west side

Schleissheim: nuevo castillo, lado oeste

Oktoberfest

The **Oktoberfest**, Munich's biggest popular festival, has been held since 1810, when the future *King Ludwig I* married *Therese von Sachsen-Hildburghausen*, and a great festival was organised on the Theresienwiese to celebrate the occasion. Tens of thousands of visitors flock to Munich from all over the world every September, when "the barrels are tapped". The five million festival guests empty nearly the same number of one-litre beer tankards in just a few days. The various breweries exhibit their horse-drawn drays in the annual procession.

Oktoberfest

La **Oktoberfest**, la más importante fiesta popular de Munich, se celebra desde 1810, cuando el sucesivo *Rey Ludovico I* decidió casarse con la princesa *Therese von Schsen- Hildburghausen* y para la ocasión se organizó en el Theresienwiese una gran fiesta popular.

Cada año, en septiembre, decenas de millares de visitantes llegan a Munich desde todas las partes del mundo con motivo de la fiesta.

Los cinco millones de huéspedes de la fiesta se beben en pocos días casi otros tantos rubicones de cerveza de un litro.

Con motivo del desfile anual las distintas fábricas de cerveza presentan los propios carros arrastrados por caballos.

Oktoberfest: festival meadow (top left)
Brewery drays in festival procession (top right and bottom left)
Under the festival awning (bottom right)

Oktoberfest: prado de la fiesta (parte de arriba a la izquierda)
Carros de las cervecerías en el desfile de la fiesta (parte de arriba a la derecha y abajo a la izquierda)
Bajo el toldo de la fiesta (parte de abajo a la derecha)

Bavaria Statue

On Theresienhöhe (Mount Theresa), at the edge of the festival site, another symbol of Munich can be seen in the distance - the **Bavaria statue**. This huge, 18-metre high figure was cast in 1850 to a design by *Ludwig Schwanthaler*. Together with the pedestal its total height is 30 metres, and the visitor can climb the inner staircase to obtain a magnificent view over the city.

The Bavaria statute is situated opposite the **Ruhmeshalle** (pantheon), the Bavarian equivalent of the Germanic Valhalla. This hall of fame, which commemorates famous Bavarian personalities, was built by *Leo von Klenze* between 1843 and 1853 in perfect Doric style.

Bavaria

En el Teresienhoehe en el margen del lugar de la fiesta, visible a lo lejos, surge otro símbolo de Munich: **la Bavaria**. Esta figura colosal de 18 metros de altura fué fundida en l850 sobre un modelo de *Ludwig Schwanthaler*. Junto con el pedestal llega a una altura total de 30 metros, de modo que la estatua, a la cual es posible subir mediante escaleras internas, brinda un amplio panorama de la ciudad.

La Bavaria está situada frente a la **Ruhmeshalle** (Pantheon), réplica bavaresa del "Walhalla" alemán. Este lugar destinado a la conmemoración de famosos personajes bavareses fué construído por *Leo von Klenze* entre el 1843 y el 1853 en perfecto estilo dórico.

Commemorative busts in Pantheon (top)
Pantheon with Bavaria (bottom)

Bustos conmemorativos en el Pantheón (parte de arriba)
Pantheón con la Bavaria (parte de abajo)

Olympiapark

Olympiapark, constructed for the 1972 Olympic Games, is one of the most impressive sights of present-day Munich. The 290-metre tall **Olympiaturm** (Olympia tower) soars above the 86,000 square metre site; below it, along the banks of an artificial lake, stand numerous sports buildings and the **Olympiastadion** (Olympia Stadium). The impressive canvas roof covers not only part of the stadium, but also the swimming pool and the multi-purpose building.

Olympiapark

El **Olympiapark**, realizado con motivo de los juegos olímpicos de verano de 1972, representa uno de los más imponentes testigos de Munich moderno. En medio de los 86.000 metros cuadrados de terreno que ocupa, domina con sus 290 metros de altura la **Torre Olympia** (Olympiaturm), bajo la cual, a lo largo de la ribera de un lago artificial, surgen numerosos edificios de deportes y el **Olympiastadion** (Estadio Olímpico). El imponente techo en forma de toldo cubre no solamente una parte del estadio, sino también la piscina y el edificio universal.

Olympiapark: Olympiastadion (bottom)

Olympiapark (parque Olimpia): Estadio Olympia (parte de abajo)

Olympia grounds with TV tower and canvas roof (right)

Terreno de la Olympia con torre televisiva y toldo (a la derecha)

BMW Museum,

An interesting example of modern architecture is the administrative building of automobile manufacturer **BMW**. The **BMW Museum** near the Olympiapark is also definitely worth a visit; the vehicles and engines exhibited illustrate the history of the cars, motor cycles and aircraft engines made in the Bavarian engine factories.

BMW - administrative offices (bottom)
BMW - Museum (top)

Museos BMW

Entre los más interesantes testimonios de la arquitectura moderna se puede contar también con el edificio administrativo de la firma automovilística **BMW**. Situado en las cercanías de Olympiapark ed **museo BMW**, es sin duda digno de conocerse: los vehículos y los motores expuestos ilustran la historia de automóviles, motos y motores aéreos producidos en las fábricas bávaresas de motores.

BMW- Oficinas administrativas (parte de abajo)
BMW- Museo (parte de arriba)

Trade Fair. Munich airport.

Trade Fair grounds in Munich - Riem   *Terreno de la feria de Munich - Riem*

Munich airport, apron, terminal, control tower.   *Aeropuerto de Munich, aparcamiento, terminal, torre de control.*

Hellabrunn Zoo

Hellabrunn, south of Munich, built between 1910 and 1928 to a design by *Gabriel and Emanuel Seidl*, is the largest Zoo in Europe. Unlike other zoos, Hellabrunn is divided into geographical regions, so that African, Asian, Australian, North and South American and Polar animals each have a large area to themselves within the gardens.

Parque de fauna Hellabrunn

Al sur de Munich está situado el más grande parque de fauna de Europa, **Hellabrunn**, realizado entre 1910 y 1928 bajo proyecto de *Gabriel y Emanuel Seidl*. A diferencia de otros jardines zoológicos, Hellabrunn se subdivide en "regiones zoogeográficas", de modo que a los animales de Africa, Asia, Australia, América del Norte y del Sur y de las regiones polares se encuentra dedicado un amplio espacio en el interior del jardín.

Excursions

Königsee at Berchtesgaden   Königsee

Rottach-Egern at Tegernsee   Egern en el Tegernsee

New Castle Herrenchiemsee   *Castillo Nuevo Herrenchiemsee*

Situated as it is in the midst of the Bavarian pre-Alps, Munich is the ideal starting point for interesting trips to the various areas of Upper Bavaria. The lakes, churches, castles and resorts in the vicinity of Munich are always worth a visit.

On the south-eastern edge of Upper Bavaria, near the Austrian border, is the **Berchtesgaden region** with the picturesque **Königsee** at the foot of Mount Watzmann (2713 metres). Since the early 19th century the area around the **Tegernsee** has been a popular resort. Anyone travelling through Upper Bavaria is bound to follow in the footsteps of the legendary "Fairytale King" *Ludwig II* (1845-1886), who had fortresses and castles built in the loveliest places as poetic refuges. One example is the imitation of the Palace of Versailles, built on an island on the **Chiemsee**. In the region around **Garmish-Partenkirchen** at the foot of the highest mountain in Germany, **Zugspitze** (2964 m), *Ludwig* had hunting lodges converted into magnificent castles. The most tragic testimony left by *Ludwig II* is Berg Castle on the banks of the **Starnberger See**, where shortly after being deposed, on 13th June 1886, the King died in unknown circumstances together with his psychiatrist.

Zugspitze (2964 mts)

Excursiones:

Situada en el centro del altoplano alpino bavarés, Munich representa también el punto de partida ideal para interesantes excursiones a las distintas zonas de la Baviera. Los lagos, las iglesias, los castillos y las localidades turísticas situadas más o menos en las cercanías de Munich son siempre dignos de conocerse.

En la periferia sur-oriental de la Alta Baviera, al límite con Austria, se encuentra la **Región de Berchtesgaden** con el **Koenigsee** (Lago Koenig), a los pies del monte Watzmann, con una altura de 2713 metros. Desde comienzos del siglo 19° la región alrededor del **Tegernsee** (Lago Tegern) ha sido siempre una de las zonas turísticas más renombradas. Quien viaja a por la Alta Baviera se adentra siempre en las huellas del legandario "Rey de las Fábulas" *Ludovico II* (1845-l886) quien hizo construír en los lugares más hermosos fortalezas y castillos que consideraba el propio refugio poético -citamos por ejemplo la imitación de la mansión de Versailles, realizada en una isla del **Chiemsee**. También en la región que rodea **Garmisch- Partenkirchen**, a los pies de la más alta montaña alemana, la **Zugspitze** (2964 mts) *Ludovico* hizo transformar cabañas de caza en suntuosos castillos. El testigo más trágico que nos dejó *Ludovico II* fué el Castillo Berg, en las orillas del **Lago de Starnberg** (Starnberger See), donde el rey apenas destronado, el 13 de junio de l886,en circunstancias hoy todavía no muy claras, perdió al vida junto con su proprio siquiatra.

Garmisch- Partenkirchen

Starnberger See: Cross in memory of Ludwig
Starnberger See: Cruz conmemorativa en memoria de Ludovico

One of the most interesting churches in Upper Bavaria is the Baroque church of **Ettal Monastery** near Garmisch-Partenkirchen. The nearby village of **Oberammergau** is world-famous for its Passion Play, held every 10 years as a result of a vow made during the 1633 plague epidemic. The upper Ammertal contains another of *Ludwig II*'s fantastic castles - **Schloss Linderhof**.

Entre las más bonitas iglesias de la Alta Baviera sin lugar a dudas vale la pena conocer la iglesia barroca del **Monasterio Ettal**, en cercanías de Garmisch-Partenkirchen. La localidad poco distante de **Oberammergau** es conocida en todo el mundo por sus "Misterios de la Pasión" llevados aquí cada diez años, seguidamente a la promesa hecha durante la epidemia de peste del 1633. En el valle alto de Ammer (Ammertal) es posible admirar otro de los maravillosos castillos de *Ludovico II*: el **Castillo de Linderhof**.

Ettal monastery   *Monasterio Ettal*

Oberammergau ▲   ▼ *Linderhof*

The most famous palace in Bavaria stands near the Austrian border at Füssen: *Ludwig II* had **Neuschwanstein** Castle built on the model of a mediaeval manor house, inspired by the works of his favourite composer, *Richard Wagner*. He took refuge in this dream world after being deposed in 1886.

Neuschwanstein with Hohen Schwangau and Alpsee.

El palacio más famoso de Baviera se encuentra situado en las cercanías de los límites con Austria en Fuessen: *Ludovico II* hizo construír el Castillo de **Neuschwanstein** por modelo de uno feudal, inspirado en las obras del compositor más apreciado por el, *Richard Wagner*. En este mundo de sueño se refugió cuando en l886 fué suspendido y destituído del propio cargo.

Castillo de Neuschwanstein con la cadena Hohen-Schwangau y el lago Alpsee.

INDEX

© RISCH-LAU & GEBR.METZ - KINA ITALIA S.p.A.
Photos: Bildarchiv Huber, Garmisch - Partenkirchen - Hansmann - Bayerisches Nationalmuseum - Artothek
Foto Klammet - Wolf - Christian von der Wülbe
Lay-out: Studio Matino, Schio (VI)
Co-ordination: Beato Barnay
Text: Markus Barnay
Translation: ATD - Mailand
Printing: KINA ITALIA S.p.A. - Mailand
All right for texts and photos reserved.
Any reproductions even partial is forbidden.
ISBN 3-930705-02-8